W9-CHP-537

BIBLIOTECA INTERAMERICANA BILINGÜE 1

WITCHCRAFT
and pre–columbian paper
BRUJERÍAS
y papel precolombino

Bodil Christensen
Samuel Martí

Fotos: B. Christensen

FIFTH PRINTING • QUINTA IMPRESION

EDICIONES EUROAMERICANAS

Cover design • Diseño de la portada:
Carlos Medina Ledesma

First Printing • Primera impresión 1971
Second Printing • Segunda impresión 1972
Third Printing • Tercera impresión 1979
Fourth Printing • Cuarta impresión 1988

Fifth Printing • Quinta impresión 1998

EDICIONES EUROAMERICANAS KLAUS THIELE
Apartado 24 – 434 • 06701 México, D.F.
Teléfono / Fax 610 01 33

ISBN 968-414-011-8

To the memory of my sister Helga Larsen

BARK PAPER AND WITCHCRAFT

Bodil Christensen

BRUJERIAS CON PAPEL INDIGENA

In ancient Mexico, before the arrival of the Spaniards, paper made of bark played an important cultural role. According to early chroniclers great quantities were used in religious ceremonies as offerings to the gods and for ornamenting idols in temples and palaces on certain feast days. In the Book of Tributes (the *Codex Mendoza*) it is specified that about 480,000 sheets of paper were brought yearly to the Aztec emperor, Moctezuma II.

Paper was also used in hieroglyphic books which were made either of bark paper or of deer skin. The paper was cut into long strips and folded together, screen fashion. In order to make the paper heavier and more durable, several strips were pasted together with a vegetable glue, *amatzautli,* obtained from the root of an orchid, *Epidendrum pastoris.* The hieroglyphic text was painted in various colors on both sides of the sheet which had first been

En México antes de la llegada de los españoles el papel hecho de corteza de árbol tenía gran importancia y según los primeros cronistas se utilizaba en grandes cantidades. El papel se empleaba en las ceremonias religiosas como ofrendas a los dioses y para adornar los ídolos, templos y palacios en ciertos días festivos. En el Libro de Tributos *(Códice Mendocino)* se anota que el tributo anual a Moctezuma II era alrededor de 480,000 hojas.

También se usaba el papel en los códices cortándolo en varias tiras y doblándolo en forma de biombo. Para hacer el papel más grueso y más durable se unían varias tiras con un pegamento vegetal llamado *amatzautli,* extraído de una orquídea *Epidendrum pastoris.* El texto se pintaba en varios colores de ambos lados de la hoja que, primero había sido cubierta con una sustancia fina y blanca, probablemente bicarbonato de calcio obtenido de la ceniza de una planta llamada *tizate, Zexmenia fructescena.*

covered with a fine white substance, probably a bicarbonate of calcium obtained from the ashes of a plant called *tizate, Zexmenia fructescena.*

After the Conquest European paper soon replaced the native product and little by little the important industry of papermaking began dying out. The village of Tepoztlan near Cuernavaca is one of the places that had paid enormous quantities of paper as yearly tribute to Moctezuma; but the people of Tepoztlan have forgotten the old art of paper-making.

Paper-making, however, still flourishes among the natives of more remote places, one of which is located in the Northwestern part of the State of Veracruz near the town of Chicontepec where the Indians are of Aztec origin, and another on the border of the States of Puebla and Hidalgo in a small Otomi village called San Pablito (fig. 1, 2 and 22).

Después de la conquista el papel europeo pronto reemplazó el producto nativo y esta industria importante se acabó poco a poco. El pueblo de Tepoztlán en el estado de Morelos fue uno de los lugares que tributaban grandes cantidades de papel, pero actualmente los vecinos de Tepoztlán han olvidado el arte antiguo de hacer papel. Sin embargo sobrevive entre los indígenas de regiones mas remotas, entre ellas la parte noroeste del estado de Veracruz cerca del pueblo de Chicontepec, donde la gente habla nahuatl, y otro en los límites de los Estados de Puebla e Hidalgo en un pequeño pueblo otomí llamado San Pablito (figs. 1, 2 y 22).

Los indígenas que viven en la región montañosa entre la altiplanicie central y el Golfo de México han conservado muchos de sus ritos y costumbres antiguos ya que la civilización ha tardado en llegar a ellos debido a la falta de comunicaciones. No hay caminos ni vías férreas, solamente veredas transitables a pie o a caballo.

Fig. 1. San Pablito, Puebla, in the Sierra Madre, center of papermaking and magical practices.

Fig. 1. San Pablito, Puebla, en el corazón de la Sierra Madre Oriental, centro de fabricación de papel precolombino y prácticas mágicas.

The natives who live in the mountainous region between the Central Plateau and the Gulf of Mexico have preserved many of their old rites and customs, as civilization has been slow in reaching them due to lack of communication; neither roads nor railways pass through their territory and it is crossed only by trails wide enough to accommodate people on foot or on horseback.

On our first trip to San Pablito, which we made in 1934, our attention was attracted by a clapping sound. We could hear that it was not the familiar sound of women making *tortillas* and we were surprised when our guide told us that the sound came from women making paper. We got off our horses in a hurry and the sight which met our eyes carried us back in time more than 400 years. In the shade of the trees women were sitting on the ground with little wooden boards on which was spread a soft substance, and this they were beating out with a stone (fig. 3).

En el primer viaje que hicimos a San Pablito en 1934, nos llamó la atención un ruido como de aplausos, que no era el sonido familiar de las mujeres haciendo tortillas, y nos sorprendió nuestro guía al decirnos que el sonido venía de algunas mujeres que estaban fabricando papel.

La escena que se presentó ante nuestros ojos nos hizo retroceder más de cuatrocientos años. En la sombra de unos árboles estaban unas mujeres sentadas en el suelo con tablitas de madera sobre las que tenían extendida una sustancia suave que ellas golpeaban con una piedra. Tratamos de indagar acerca de esta antigua costumbre pero ninguna de las mujeres hablaba español, y nosotros no hablábamos otomí. Afortunadamente pronto encontramos a un hombre que hablaba el español lo suficiente para explicarnos el procedimiento.

El papel se hace de la corteza interior de algunas variedades de árboles, principalmente la de la mora y la de la higuera sil-

12

Fig. 2. Early morning in San Pablito.

Fig. 2. Amanecer en San Pablito.

We were curious to learn more about this ancient custom but none of the women spoke Spanish —and we could not speak Otomi. Soon, however, we found a man who spoke enough Spanish to explain the procedure to us.

The paper is made of the inner bark of different species of trees; in San Pablito principally from the mulberry tree and from the wild fig trees. The bark from the mulberry tree produces a whitish paper and that of the wild fig trees a brownish paper. The tone of the color depends on the age of the tree —the older the tree the darker the color. The wild fig trees are called *amate* or *amacuahuitl* from the Nahuatl words *amatl*-paper and *cuahuitl*-tree.

The bark is peeled off the trees, usually in the spring and preferably when the moon is new, as this facilitates the work and does less harm to the trees. The men collect the bark and the

vestre. La corteza de la mora produce un papel blanquizco, y de la higuera silvestre se obtiene un papel moreno; la intensidad del color depende de la edad del árbol, mientras más viejo es el árbol más oscuro es el color del papel. La higuera silvestre se llama *amate* o *amacuahuitl*, derivado de las palabras nahuatl: *amatl*-papel y *cuahuitl*-árbol.

La corteza se recoge de preferencia durante la primavera y cuando la luna está "tierna". El motivo de esto es que el trabajo se facilita y se lastima menos a los árboles. El trabajo de los hombres es el de recoger la corteza y el de las mujeres fabricar el papel. Una vez desprendida del árbol, la corteza interior se separa de la exterior y se vende a las mujeres. La corteza puede secarse y almacenarse para su uso posterior, pero antes de usarse tiene que ser hervida en agua con ceniza, o en agua de nixtamal, y cuando la fibra está suave se enjuaga en agua limpia. Mientras

women do the actual paper-making. After the peeling the inner bark is separated from the outer bark and sold to the women. It may be dried and stored away for later use but before it can be used it must be boiled in ash-water, or lime water in which the corn for the *tortillas* has been soaked. When the fibers are soft they are rinsed in clean water and are finally ready for use. While making the paper the women keep the fibers in a wooden bowl filled with water to keep them soft. The paper is made on a wooden board the size of which depends on the desired size of the paper (fig. 3 to 6 and 24). A layer of fibers is spread on the board and beaten out with a stone until it is felted together. The stones are either grooved or smooth on the pounding surface and have fluted sides. Amongst the natives near Chicontepec, dried corncobs scorched in fire are used instead of the customary stone-beaters (fig. 4). The boards with the wet fibers are placed in the sun to

fabrica el papel, la mujer guarda las fibras en una batea llena de agua para conservarlas suaves. El papel se hace en una tabla de madera del tamaño de la hoja que se desea (fig. 3 a 6 y 24). Primero extiende una capa de fibras sobre la tabla y luego las golpea con una piedra hasta amalgamarlas. Estas piedras pueden ser lisas o acanaladas en la superficie que golpea, y tienen bordes ondulantes. Entre los nahuas de Chicontepec se usan olotes de maíz quemados al fuego en lugar de los golpeadores de piedra (fig. 4). Las tablas con las fibras húmedas se ponen a secar al sol y una vez secas el papel se puede desprender de la tabla fácilmente (figuras 4, 6 y 25).

El papel blanco se considera como papel "bueno", ya que se utiliza como amuleto para invocar protección, mientras el papel moreno se usa para la magia negra. No cualquiera tiene el poder y la habilidad para oficiar en estos asuntos, sino solamente el brujo o el cu-

FIG. 3. Otomi papermaker of San Pablito, Puebla. Newly cut fibers hang on a wire while finished sheets of white paper dry in the sun.

FIG. 3. Mujer otomí de San Pablito haciendo papel. Se ven varias tablas con papel secándose al sol, así como fibra recién cortada.

Fig. 4. Papermaker of Chicontepec, Veracruz, using fire-hardened corncob instead of
a stone beater. Sheets of different kinds
of fiber are drying in the sun.

Fig. 4. Mujer de Chicontepec haciendo
papel con un olote quemado al fuego en
lugar de un golpeador de piedra. Tablas con
diferentes clases de papel secándose al sol.

Fig. 5. Otomi woman of San Pablito finishing a sheet of paper. A wooden bowl called "batea", containing water and used to keep the fibers soft, is seen to the right. In front, a wooden board with fibers ready to be worked into a sheet.

Fig. 5. Mujer de San Pablito terminando una hoja de papel. A la derecha una batea con fibra remojada y al frente una tabla con fibra formando una hoja lista para ser trabajada.

FIG. 6. Otomi papermaker of San Pablito lifting a dry sheet from the wooden board. A bowl containing soft fibers and a board with stone beater and half-finished sheet of paper appear in front.

FIG. 6. Levantando de la tabla una hoja seca. A la izquierda aparecen otra tabla con una hoja a medio terminar y la piedra que emplean para golpear la fibra.

dry, and when dry the paper can easily be lifted off the board (figs. 4, 6 and 25).

Until recently the bark paper was only used for witchcraft and the Otomies of San Pablito folded up the sheets very neatly and tied them together in bundles of 12 sheets which they sold in their local market place. Now, however, the bark paper has been commercialized and great quantities of larger and heavier sheets are sold all over Mexico.

The white paper is considered "good" paper because it is used for invoking protection while the dark paper is used in black magic. Only the sorcerer or medicine-man has the power to officiate in these matters. He possesses a deep knowledge of the medicinal properties of many herbs and his good luck in curing can probably be ascribed to this knowledge. He uses the paper to cut out little dolls; the dark paper dolls are called "devils" as they represent the bad spirits, while those cut out of light-colored

randero. Estos personajes poseen profundos conocimientos de las propiedades medicinales de muchas plantas y su éxito en las curaciones probablemente puede atribuirse a este conocimiento. El papel se utiliza para recortar muñequitos "mágicos". A los muñecos recortados con papel oscuro se les llama "diablos", ya que representan a los malos espíritus; mientras los muñecos hechos con papel blanco representan a los espíritus buenos y a las personas que hacen las promesas. Para distinguir a las mujeres de los hombres el brujo recorta un mechón encima de la cabeza de la figura femenina. Algunos muñecos tienen cuatro brazos y dos caras de perfil (fig. 7); otros tienen cola y cabeza de animal (fig. 8). Los muñecos cuyos pies están cortados en forma de zapato, así como los que tienen cabeza de animal, representan a las ánimas de gente mala, que son los que fueron muertos en riña, o que murieron en accidentes o ahogados, mujeres que murieron durante el parto, y los niños que no habían respetado a sus padres. Los

paper represent the good spirits and the persons involved in the ceremony. To distinguish the women from the men he cuts a tuft of hair on top of the head. Some paper dolls have four arms and two faces in profile (fig. 7), others have a tail and an animal head (fig. 8). The paper dolls whose feet are cut in form of shoes, as well as those with animal heads, represent the spirits of bad people such as those killed in a fight, or people killed in accidents, drowned people, women who died in childbirth, and children who did not respect their parents. The paper dolls with feet cut with toes represent the spirits of good people who died from an illness or from old age (fig. 9). The symbolism of shoes shows that they are representing the bad people as ladinos and the good people as indigenous. It is interesting to note that the dark paper dolls used in black magic are destroyed after each ceremony, whereas those made of white paper and used for beneficent purposes are saved.

muñecos cuyos pies tienen dedos representan a las ánimas de gente buena, que son los que murieron de una enfermedad o de vejez (fig. 9). El simbolismo del calzado indica que están representando a la gente mala como mestizos, y a la gente buena como indígenas. Es interesante hacer notar que los muñecos de papel moreno se destruyen después de cada ceremonia, mientras que los de papel blanco, empleados con fines benéficos, se conservan como amuletos.

La vida del indígena es muy distinta a la nuestra, ya que él vive en un mundo lleno de espíritus. Todo en la naturaleza posee un espíritu, y durante toda su vida el indígena tiene que procurar estar en buena armonía con estos espíritus para conseguir buena salud y prosperidad en forma de buenas cosechas. Esto se logra haciendo ofrendas a los espíritus en épocas determinadas. Si no lo hace los espíritus se enojan y pueden castigarle con una enfermedad o con mala suerte. El indígena tiene que protegerse contra

FIG. 7. Paper doll wearing shoes representing the spirit of bad people.

FIG. 7. Figura de papel cortado con zapatos representando al ánima de gente mala.

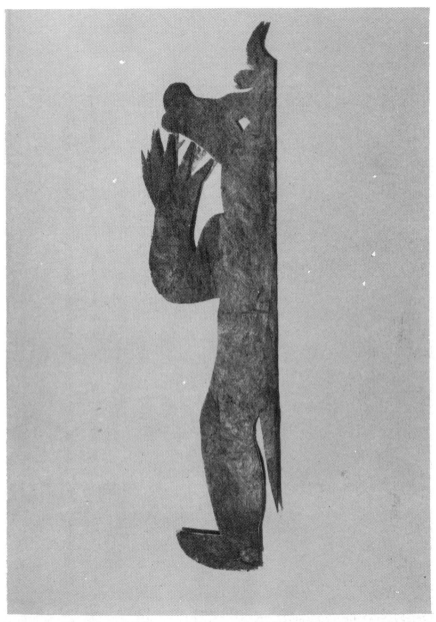

Fɪɢ. 8. Paper doll cut in the form of an
animal, representing the spirit of bad people.

Fɪɢ. 8. Figura de papel cortada en forma
de animal representando al ánima de gente
mala.

FIG. 9. Paper doll cut with bare feet representing the spirit of good people.

FIG. 9. Figura de papel cortado con pies descalzos representando al ánima de gente buena.

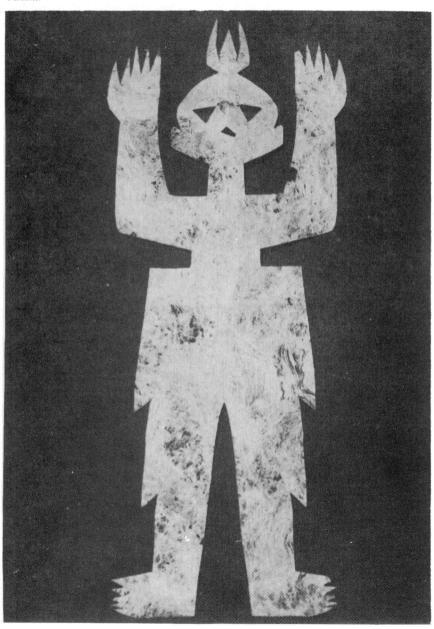

Fig. 10. Paper cut in a special design used in the "cleaning" ceremony. These paper cuttings are called "beds" because the paper dolls rest on them during the ceremony.

Fig. 10. Papel cortado en un diseño llamado "cama", porque los muñecos de papel descansan sobre ellas durante la ceremonia llamada "limpia" o "barrida".

The Indian lives in a world full of spirits. Everything in nature has a spirit, and all during his life he must try to stay on good terms with those spirits in order to have good health and prosperity in the form of good crops. He therefore makes occasional offerings to the spirits. If he fails to do so the spirits get annoyed and may punish him with sickness and bad luck. He must also protect himself against the Spirits of the Forest, the Well, the Field, the Earth, the Rain and even against the spirit of his own house. These ceremonies are called *"costumbres"* or customs. One part of the *"costumbre"* which is repeated in almost all the ceremonies is the so-called "cleaning" or "sweeping" which is not a general house-cleaning but a cleaning out of bad spirits. The sorcerer places two rows of paper dolls on the ground; they rest on sheets of brown bark paper cut out in a special design. These papers are called "beds" because the dolls rest on them (fig. 10).

el Espíritu del Monte, del Pozo, de la Milpa, de la Tierra, de la Lluvia y aún contra el espíritu de su propio hogar. Las ceremonias mágico-religiosas se les llama "costumbres". Una parte de la costumbre que se repite en casi todas las ceremonias es la llamada "limpia" o "barrida". Esta no es un aseo general de la casa sino una limpieza de los espíritus malos. El brujo coloca dos hileras de muñecos de papel sobre el piso de la choza. Estos muñecos descansan sobre hojas de papel cortado en un diseño especial; estos papeles se llaman "camas", porque los muñecos descansan sobre ellos (fig. 10). En cada esquina se pone una vela encendida y el brujo se sienta en cuclillas enfrente de los muñecos con un pollo vivo bajo el brazo. Primero reza y canta en otomí, luego corta el pescuezo del pollo con unas tijeras y salpica la sangre sobre los muñecos de papel (fig. 11). Al hacer esto baila alrededor de los muñecos y brinca encima de ellos, cantando en otomí. Después envuelve el pollo en los papeles cortados y con este bulto corre de

Fig. 11. Brujo haciendo una "barrida". Ha matado a un pollo, salpicando la sangre sobre los muñecos de papel que descansan sobre las "camas", y ahora está rezando para que los malos espíritus salgan del enfermo.

A lighted candle is placed in each corner and the sorcerer squats in front of the dolls, holding a live chicken under his arm. First he prays and chants in Otomi. Then he cuts the neck of the chicken with a pair of scissors and sprinkles the blood over the paper dolls (fig. 11). At this time he dances around the dolls and jumps over them, still chanting in Otomi. Then he wraps the dead chicken in the paper dolls and with this package he runs about, absorbing the bad spirits, after which the package with the chicken is thrown into the ravine taking with it all the bad spirits.

When a person gets sick the sorcerer is called. He sits down on the floor of the hut and divines in the smoke of his incense burner which spirit is annoyed and requires an offering; it may be the Spirit of the Field, of the House, of the Mountain or of the Well. The ceremony varies a little for each spirit, but all have the same object —to cure the sick person.

un lado a otro, chupando los espíritus malos. Al final arroja el bulto a una profunda barranca para hacer desaparecer los malos espíritus que ha absorbido.

Cuando se enferma una persona se consulta al brujo o adivino como a veces lo llaman los indígenas. Este se presenta en la casa del enfermo y se sienta en el suelo y adivina en el humo de su incensario cuál espíritu está enojado y requiere una ofrenda: puede ser el Espíritu de la Milpa, de la Casa, del Cerro o de la Fuente. La "costumbre" varía un poco para cada espíritu, pero todas tienen el mismo objeto: sanar al enfermo.

Si el brujo después de haber adivinado en el humo de su incensario la causa del malestar, indica al enfermo que la milpa pide su ofrenda para aliviarlo, se lleva a cabo la siguiente "costumbre". Primero se toma un poco de tierra de las cuatro esquinas de la milpa y se entierra en una olla nueva forrada con papel blanco. En la misma olla se coloca una ofrenda de chocolate, cigarros,

In the ceremony for the Spirit of the Field the sorcerer takes some earth from the four corners of the field and puts it into a new clay pot lined with white paper together with an offering of chocolate, cigarettes, bread, sweet buns, sugar, candy, candles, a small broom, a gourd, and a small wooden bowl, as well as a pair of white paper dolls with green adornment. These dolls represent the Spirits of the Field. The pot is covered with a plate and buried in the field. After a couple of days the pot is dug up and the earth is returned to the four corners of the field. During the ceremony the musicians play tunes corresponding to each part of the ceremony (fig. 12). Generally the music corresponds to the arrival, the *"costumbre"*, the rejoicing and the departure. Each tune, which only consists of a couple of bars, is played on a violin accompanied by a guitar and is repeated over and over again. The melodies here presented were collected and transcribed by the musicologist SAMUEL MARTI in 1941 (pages 32 and 33).

pan, ceras, confites, marquesote (pan de huevo), azúcar, asi como una pequeña escoba, una jícara y una bandejita y además una pareja de muñecos de papel vestidos con trajes con adornos verdes, los cuales representan los Espíritus de la Milpa. La olla se cubre con un plato y se entierra en la milpa. Después de algunos días se desentierra la olla, y la tierra se devuelve a las cuatro esquinas. Durante la ceremonia los músicos ejecutan música apropiada a cada parte de ella (fig. 12). Generalmente la música corresponde a la llegada, la "costumbre", el regocijo y la despedida. La música se toca en violín acompañado por la guitarra. Cada son, que generalmente consiste de unos cuantos compases, se repite muchas veces. Las melodías representadas aquí fueron recogidas en San Pablito por el musicólogo SAMUEL MARTÍ en el año de 1941 (páginas 32 y 33).

La "costumbre" para la Casa se celebra para pagar a la casa por el abrigo que les brinda a sus habitantes. Esta "costumbre" debe

Fig. 12. Rain ceremony.

Fig. 12. "Costumbre" para pedir la lluvia.

The ceremony for the Spirit of the House has to be given within two years after the house has been built in order to offer thanks for the shelter and protection given to its owner. A stick of the same wood of which the beams in the house are made is placed in the middle of the room and decorated with a star woven of palm leaves like a sun-flower; in the middle of the star a white doll is placed while other white dolls decorate the altar and the walls of the hut. The sorcerer arrives to make the cleaning ceremony; first in front of the star and then upstairs in the *tlapanco* (a raised wooden platform under the roof used as a store-room) While he is making the cleaning ceremony four little boys stand in the corners of the hut shooting arrows towards the *tlapanco* and later, when the sorcerer makes the cleaning ceremony upstairs, four other little boys shoot arrows towards the roof. When the "cleaning" is over the sorcerer and the eight little boys dance

efectuarse durante los dos años después de haberse construido la casa. En el centro de la casa se coloca un palo de la misma clase de árbol de que está hecha la casa, y en el palo se coloca un adorno tejido de palma, llamado "sol". En el centro del "sol" está prendido un muñeco de papel blanco, y otros muñecos también de papel blanco adornan las paredes y el altar. El brujo llega para hacer la "barrida", primero frente al "sol" y después arriba en el *tlapanco* (un tablado debajo del techo). Mientras hace la "barrida" cuatro muchachos, uno en cada rincón del cuarto, están tirando con flechas hacia el *tlapanco,* y después cuando el brujo sube a éste, otros cuatro muchachos tiran con flechas hacia el techo desde el *tlapanco.* Al final el brujo y los ocho muchachos bailan alrededor del palo colocado en el centro de la casa, el brujo con su incensario y los muchachos con abanicos hechos de carrizo cortado en cinco tiras adornadas con flores amarillas (pág. 32).

Cuando el brujo "adivina" que es necesario hacer una "cos-

"COSTUMBRE" PARA LA MILPA:

a.—(Al tomar un poco de tierra de las cuatro esquinas de la milpa).

b.—(Saludo al Adorno Verde).

c.—(Canto de gratitud a la Madre Tierra).

d.—(Al devolver la tierra a las cuatro esquinas de la milpa).

e.—(Despedida. Versión para danza).

f.—(Despedida. Versión para canto).

"COSTUMBRE" PARA LA CASA:

g.—(Ofrenda al árbol).

h.—(Subiendo al *tlapanco*).

i.—(Bajando del *tlapanco*).

j.—(Danza del Regocijo).

k.—(Despedida).

"COSTUMBRE" PARA EL CERRO:

l.—(Para llamar al Dueño del Cerro).

around the stick in the middle of the room, the sorcerer with his incense burner and the little boys with fans cut out of split cane decorated with yellow flowers (page 33).

When the sorcerer decides that it is necessary to make a "costumbre" to the Spirit of the Hill they climb to the top of the "Hill of the Sorcerer" above San Pablito. There the sorcerer buries a green tissue-paper doll, which represents the Spirit of the Hill, and they dance, sing and burn copal incense.

The *"costumbre"* to the Well is performed in the following manner: the water spring is located in the center of the village and the people of San Pablito know that many illnesses, like dysentary, come from the drinking water and they think that a bad spirit has entered the spring and requires an offering. The ceremony is made above the spring, where the sorcerer performs a "cleaning" ceremony, burying eggs, candles and a doll cut out

tumbre" al Espíritu del Cerro, todos suben al Cerro del Brujo que se haya atrás de San Pablito. Allí el brujo entierra un muñeco de papel de China verde, que representa el Espíritu del Cerro, y bailan, cantan y queman copal.

La "costumbre" a la Fuente se desarrolla en la forma siguiente: los indígenas saben que muchas enfermedades, como la disentería, provienen del agua del pozo que se encuentra en el centro de la población y creen que un espíritu malo ha entrado en el pozo y pide su ofrenda. La "costumbre" se hace arriba del pozo, donde el brujo hace una "barrida" y entierra huevos, ceras y un muñeco de color azul que representa el Espíritu de la Fuente, a la vez que canta, baila y quema copal. También adorna el pozo con tres símbolos cortados de papel de China de diferentes colores y de papel blanco comercial: la Flor del Monte, la Puerta del Monte y el Pájaro del Monte, que es un águila con dos (o cuatro) cabezas. Estos tres símbolos también aparecen como adorno en sus altares

of blue tissue paper which represents the Spirit of the Well. The sorcerer dances, sings and burns copal incense. The well is decorated with three symbols cut out of different colored tissue paper and of white commercial paper: the Flower of Heaven, the Door of Heaven and the Guardian of Heaven. These same symbols also adorn their pagan altars.

The life of the Indians depends on the rainfall as they are all agriculturists. If the crops are in danger, either from lack of rain or from too heavy a rainfall, the Spirit of the Rain must be pacified. They think "The Siren", as this spirit is called, lives in a lagoon but not always in the same lagoon. She changes her dwelling, they say, so when the Indians make offerings to the Siren they do not always go to the same place. This is like a pilgrimage, hundreds of Indians go, and it is far, sometimes several days journey. When they get to the lagoon they build a small

paganos y a veces les llaman Flor del Cielo, Puerta del Cielo y Guardián del Cielo.

El bienestar del indígena depende en gran parte de las lluvias, ya que todos son agricultores. Si la cosecha está en peligro ya sea por sequía o por demasiada lluvia, el Espíritu de la Lluvia tiene que ser apaciguado. "La Sirena", como llaman a ese espíritu, vive en una laguna, aunque no siempre en la misma. Dicen que ella cambia de morada, de modo que cuando quieren hacer ofrendas a la Sirena, no siempre van al mismo sitio. Como si fuera una peregrinación centenares de gentes hacen jornadas muy largas a veces de varios días y cuando llegan a su destino, construyen un pequeño altar de varitas y lo adornan con flores y papel de China de varios colores recortado en un diseño especial sobre el que colocan la ofrenda. La ceremonia dura dos días durante los cuales bailan, tocan, cantan y queman grandes cantidades de copal. Las ofrendas que consisten de pavos vivos, cigarrillos, pan y chocolate,

altar of sticks and decorate it with white flowers and colored tissue paper cut out in special designs. On this altar the offerings are placed. The ceremony lasts for two days; they dance and play and sing and burn great quantities of copal incense. At last the offering, which consists of live turkeys, chickens, cigarettes, bread, chocolate, candles and paper dolls sprinkled with blood, is thrown into the water or buried on the shore of the lagoon for the Siren, on whose good will the Indians' whole existence depends.

The white dolls are also used to invoke protection. Once, when an Otomi Indian was brought to the nearest town to appear before the judge for some crime he had committed, a white paper doll with its lips sewn together was found on his person. This, he explained, was to prevent the judge from pronouncing the sentence against him.

But it is not only during his lifetime that the white paper

así como velas y muñequitos de papel salpicados de sangre se arrojan al agua o se entierran en la ribera de la laguna. Todo esto se hace para contentar a "La Sirena" de cuya buena voluntad depende la existencia de los indígenas.

Los muñecos blancos se usan también para invocar protección. Una vez que llevaron a un muchacho otomí al pueblo más cercano para que se presentara ante el juez por haber cometido algún crimen, le encontraron en su ropa un muñeco de papel blanco que tenía los labios cosidos. Esto, explicó el muchacho, era para evitar que el juez fallara en su contra.

El muñeco de papel blanco no sólo ocupa un lugar importante en la vida del indígena sino también después de la muerte ya que lo entierran con uno de estos muñecos en la mano para protegerle en su viaje a lo desconocido. También se colocan con el difunto un jarro de agua, unas cuantas tortillas y un poco de dinero para

doll plays an important role for the Indian; it is also important in death. He is buried with a white paper doll in his hands to protect him on his journey to the unknown. A jug of water, a few *tortillas* and a small bag of money are also placed in the grave with him to stave off hunger and thirst and to overcome any unforeseen difficulty.

In affairs of love the white paper doll is also useful. A woman whose man has left her may go to the sorcerer and appeal for his help in bringing him back. He cuts out a pair of white paper dolls, folding the arms of the man around the woman, and while imploring the man to return he passes the dolls back and forth through the smoke of his incense burner. Now and then he lifts the dolls to his mouth, inhales deeply and blows sharply into the dolls' mouths (fig. 15). When the ceremony is over he gives the dolls to the woman with many instructions which she has to observe: she must get a tuft of the man's hair and tie it to that

ahuyentar el hambre y la sed y para afrontar cualquier dificultad imprevista.

Además el muñequito blanco es útil en asuntos de amor. Cuando la mujer es abandonada por su hombre acude a un brujo para implorar su ayuda con el fin de que vuelva a su lado. El brujo recorta un par de muñequitos de papel ordinario representando el hombre abrazando a la mujer, y pasando los muñequitos una y otra vez a través del humo de su incensario, ruega al hombre que vuelva con su mujer. De vez en cuando, se lleva los muñecos a la boca (fig. 15), aspira hondamente y sopla con fuerza en la boca del muñeco. Cuando termina la ceremonia, hace entrega de los muñecos a la mujer, dándole muchas instrucciones que ella debe obedecer. Entre otras debe de conseguir un mechón del hombre y atarlo a los muñecos con un hilo de su color favorito y ponerlos cerca de ella al comer, convidándolos de todo lo que ella come. También debe de encender diariamente una vela a los

of the doll with a thread of her favorite color; she must place the dolls next to her when she eats, letting them partake of everything she herself eats; she must burn a candle to them every day and she must take them to bed with her at night. He assures her that if she observes all these instructions carefully her man will return to her.

In addition to the dolls of bark paper the Otomis of San Pablito also cut out dolls of colored tissue paper. The dolls represent the spirits of the seeds of various crops. They correspond in color to the plant they represent and little images of the fruit sprout out from the sides of the dolls. The doll for the banana plant is green and carries a cluster of bananas on top of the head and bananas coming out of its sides (fig. 16), and the one for the tomato plant is green with red fruits (fig. 17). The doll for the Mexican bean *(frijoles)* is recognized by its purple pods; the one for securing a good supply of honey is yellow and decorated

muñecos y llevarlos a la cama cuando se acuesta. El brujo le asegura a su cliente que si sigue estas instrucciones cuidadosamente, su marido volverá con ella.

Además de los muñecos hechos de papel de corteza de árbol, los otomíes de San Pablito también recortan muñecos de papel de China de varios colores. Estas figuras representan los espíritus de las semillas de los distintos productos vegetales. Las figuras tienen el mismo color que el de la planta que representan, y a los lados del muñeco recortan pequeñas figuras de. la fruta que representan. El muñeco que representa el plátano es de color verde y tiene un racimo de plátanos encima de la cabeza y otros a sus lados (fig. 16). El que representa el jitomate es de colores verde y rojo (fig. 17); el del frijol se reconoce por las vainas moradas; y el de la miel de abeja está hecho con papel amarillo y blanco y es adornado con pequeñas abejas. Todos estos muñecos demuestran la gran habilidad e imaginación del brujo-artista que las recorta.

Fig. 15. Shaman officiating in a love ceremony

Fig. 15. Brujo oficiando en una ceremonia de amor.

FIG. 16. Paper doll cut out of green tissue
paper representing the Spirit of the Banana
plant.

FIG. 16. Muñeco de papel de China representando al Espíritu del Plátano.

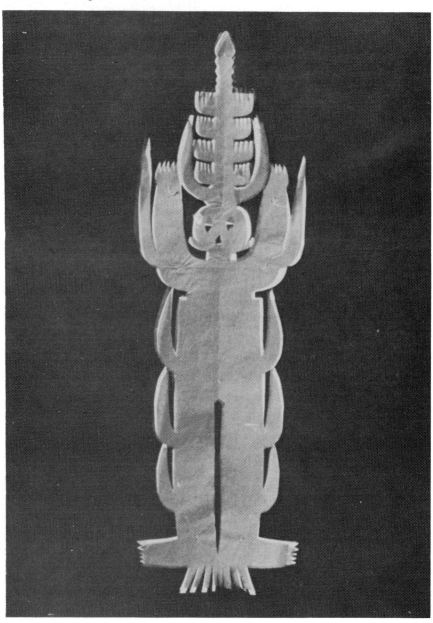

FIG. 17. Paper doll cut out of green and
red tissue paper representing the Spirit of
the Tomato plant.

FIG. 17. Muñeco de papel de China verde y
rojo representando al Espíritu del Jitomate.

with little bees. These among many more are all masterpieces and show the great skill and imagination of the sorcerer-artist who cuts them.

Every other year a ceremony must be performed in order to give a good crop, invoking the spirits of the seeds which have been sown. First the sorcerer must take the dolls to a cave where they are sprayed with incense and consecrated to the spirit which protects the crops. The dolls are afterwards carried to the field and placed on a small altar decorated with banana leaves and yellow flowers. An offering of bread, eggs, chocolate, cigarettes and sugarcane rum is also placed on the altar. The sorcerer and six little boys with fans decorated with yellow flowers dance all night in front of the altar. At midnight the sorcerer makes a "cleaning" ceremony and at the end of the second day the offering is distributed among the people and the paper dolls are brought home

Cada tercer año el indígena debe efectuar una ceremonia por medio de la cual se invoca a los espíritus de las semillas que han sido sembradas para que le produzcan una buena cosecha. El brujo tiene primero que llevar los muñecos a una cueva donde los consagra al espíritu que debe proteger la cosecha. Después llevan los muñecos al campo y los colocan en un pequeño altar adornado con hojas de plátano y flores amarillas. También se colocan sobre el altar ofrendas de pan, huevos, chocolate, cigarrillos y ron de caña de azúcar. El brujo acompañado de seis muchachos portando abanicos adornados con flores amarillas bailan toda la noche enfrente del altar. A la media noche el brujo hace una "limpia", y después del segundo día las ofrendas se reparten entre la gente y los muñecos de papel se llevan para ponerlos en el granero o sobre el altar de la choza y les encienden velas. Esta "costumbre" se efectúa para proteger los campos ya sembrados y para pedir buenas cosechas.

and placed either in the corn-bin or on the altar of the hut with a candle burning in front of them. This *"costumbre"* is performed to protect the fields already sown and to ask for good crops.

To the Indian illness is not only a physical state of health but also a condition caused by a hex or a curse brought about by an evil wind or spirit taking possession of the body. One is apparently always exposed to such evil winds or spirits, not to speak of an enemy's evil eye, especially after dark when the spirits roam over the mountain trails. The sorcerer has it in his power to drive out an evil spirit, to cure or cause sickness, or to cast a curse, and for these purposes he uses dark paper dolls.

When a person has been ailing for a long time and cannot get well he knows he has been bewitched. He then goes to the sorcerer to be cured and at the same time hires him to put a curse on the person he believes has bewitched him. This is done by burying a

Para el indígena una enfermedad no es solamente un malestar físico, sino también un estado producido por una maldición u ocasionado por un espíritu malo que se ha posesionado del cuerpo y según los nativos todos están expuestos a estos espíritus y vientos malos. Por ejemplo, el "mal de ojo" lo causa un enemigo, especialmente cuando obscurece ya que es la hora en que los espíritus vagan por los senderos de la montaña. El brujo tiene el poder de ahuyentar los espíritus malos, de curar y de enfermar y de lanzar maleficios, para lo cual se vale de los muñecos morenos.

Cuando una persona ha estado enferma por mucho tiempo y no puede aliviarse, todos saben que está embrujada. El enfermo contrata al brujo para que lo cure, y al mismo tiempo le paga para hechizar a la persona que cree que le ha embrujado. Según ellos esto se logra enterrando un muñeco moreno lo más cerca de la casa de aquella persona. Para hacer más doloroso el male-

brown paper doll pierced with a thorn of the bull's horn, *acacia* (fig. 18).

A bit of his clothing, a lock of his hair or his picture can be buried with the doll. This is the reason many Indians do not like to be photographed; they think you take a part of them away with you and they believe that if you are in possession of their picture you will be able to do them harm.

Many changes have taken place in San Pablito since our first visit there. Schools have been built, water pipes have been laid, and many of the old customs have disappeared—but paper-making continues to flourish.

ficio se le clavan alfileres o espinas al muñeco (figura 18).

También acostumbran enterrar con el muñeco un pedazo de la ropa o un mechón o una fotografía de la persona sospechosa. Por esta razón no les gusta a muchos indígenas ser fotografiados, pues piensan que el fotógrafo se lleva una parte de ellos mismos y creen que la persona que tiene su fotografía les puede hacer algún daño.

Mucho ha cambiado en San Pablito desde nuestra primera visita. Se han construido escuelas; el agua ha sido entubada y muchas de las viejas costumbres han desaparecido —pero la fabricación de papel sobrevive.

Fig. 18. Dark paper doll pierced with a thorn used in black magic in order to cause pain or sickness.

Fig. 18. Muñeco de papel de amate con una espina usado en la magia negra para causar dolores o enfermedad.

PAPEL PRECOLOMBINO

Samuel Martí

PRE-COLUMBIAN BARK PAPER

"And when midnight had come, there upon [the gods] gave them their adornment; they arrayed them and readied them. To *Tecuciztecatl* they gave his round, forked heron feather headdress and his sleeveless jacket. But [as for] *Nanauatzin,* they bound his head-dress of mere paper and tied on his hair, called his paper hair. And [they gave him] his paper stole and his paper breech clout (Andersen and Dibble 1953:5)." Thus reads SAHAGÚN's version of the creation of the Aztec Fifth Sun, which corresponds to our era. From such ancient lore we get an idea of the antiquity of paper making in Mexico.

During the period when Europe was still in the so-called Dark Ages, the Maya people already had inherited and developed a system of writing, a calendar, mathematical processes based on the value of numbers by position and the concept of zero. They

"Después que se acabaron las cuatro noches de su penitencia, luego echaron por allí los ramos y todo lo demás con que hicieron penitencia. Esto se hizo al fin, o al remate de su penitencia, cuando la noche siguiente a la medianoche habían de comenzar a hacer sus oficios; antes un poco de la medianoche, diéronle sus aderezos al que se llamaba *Tecuciztécatl;* diéronle un plumaje llamado *aztacomitl,* o una chaqueta de lienzo; y al buboso que se llamaba *Nanauatzin* tocáronle la cabeza con papel, que se llama *amatzontli,* y pusiéronle una estola de papel y un *maxtli* de papel; y llegada la medianoche, todos los dioses se pusieron en rededor del hogar que se llama *teotexcalli.* En este lugar ardió el fuego cuatro días." Así describe SAHAGÚN (L. VII, c. I) los preparativos para la creación del Quinto Sol que corresponde a nuestra era. De tales fuentes pretéritas nos podemos dar una idea de la antigüedad de la fabricación del papel en México.

Durante las centurias en que Europa vivía la mal llamada Epoca de las Tinieblas los mayas de Yucatán ya habían heredado y per-

also had produced hundreds of books written on bark paper, called codices. Maya figurines from the Classic period (circa 500-700 A.D.), now in the National Museum of Anthropology, represent women making bark paper.

Paper folded in screen-like fashion acquired a ceremonial character even as it did in Asia. This is particularly true of the Aztec *Tonalamatl* and the Maya *Tzolkin,* the Sacred Books of Augurs. The DRESDEN CODEX, dealing with astronomical calculations, rituals and celestial phenomena —one of the three known Maya codices that survived the holocaust of native libraries perpetrated by DIEGO de LANDA and JUAN DE ZUMÁRRAGA— was probably compiled during the Classic period. The libraries where these manuscripts were zealously stored and protected were called *Amoxtlatiloya* and

feccionado un sistema de escritura, un calendario, procesos matemáticos basados en el valor de los números por su posición y en el concepto del cero, y además, producido muchos libros escritos en papel de corteza o amate llamados códices. Existen figurinas mayas del período clásico medio, circa 500-700 d. C., que representan mujeres haciendo papel de amate.

Al igual que entre los pueblos asiáticos en Anáhuac el papel de amate con textos mágicos y rituales, doblado en forma de biombo, adquiría un carácter ceremonial y sagrado. Tal es el caso del *Tonalamatl* azteca y el *Tzolkin* maya considerados como Libros Sagrados de los Augurios. Los depositorios o bibliotecas en donde se conservaban celosamente los códices eran llamados *Amoxtlatiloya* y *Amoxpialloyan* por los aztecas, y *Sirandapaztacuaro* por los tarascos.

El CÓDICE DRESDE es uno de los tres libros mayas que sobrevivieron el holocausto de las bibliotecas nativas perpetrado por los obispos DIEGO DE LANDA y JUAN DE ZUMÁRRAGA. Este códice fue

Fig. 19. Sacral dance in honor of Quetzalcoatl presided by Huehuecoyotl as deity of the dance. All the dignitaries wear amate paper costumes and ornaments. CODEX BORBONICUS, plate 26.

Fig. 19. Danza sacral en honor de Quetzalcoatl presidida por Huehuecoyotl actuando como deidad de la danza. Todos los personajes llevan ornamentos de papel de amate. CÓDICE BORBONICUS, lámina 26.

Amoxpialloyan by the Aztecs, and *Sirandapaztacuaro* by the Tarascans of Michoacan.

It is interesting to ponder on the evolution of paper making from speech and drawings to actual writing. The first known rag paper was invented in China by Ts'AI LUN in the year 105 A.D. In Egypt, Greece and Rome they used writing paper made from a tall water plant called Papyrus *(Cyperus papyrus)*, while in Asia Minor they employed parchment made from the skins of sheep. Mexicans followed essentially the same pattern of development: speech, stelae, hieroglyphic writing on stone, and then on deer skin, and paper made from cactus or bark.

Paper was extensively used in ancient Mexico's religious and profane ceremonies. Paper tipped with rubber was burned as an offering; elaborate paper decorations and costumes were worn in the ceremonies while immense quantities of paper were used in

probablemente compilado por sabios mayas durante el apogeo de la época clásica alrededor del siglo séptimo de nuestra era. El códice contiene cálculos astronómicos, escenas rituales y mitológicas, así como datos sobre fenómenos celestiales que abarcan cientos de años.

Resulta interesante seguir la evolución de la fabricación de papel a partir de la palabra y dibujos hasta los sistemas actuales de escritura. El primer papel de trapo parece que fue inventado en China por Ts'AI LUN alrededor del siglo segundo de nuestra era. Los egipcios, y después los griegos y romanos, empleaban un papel fabricado de una planta acuática llamada papiro *(Cyperus papyrus)*, mientras que en el Medio Oriente empleaban pergaminos hechos de pieles de cabra o de carnero que por su resistencia desplazaron al papiro poco antes de la era cristiana.

Los antiguos mexicanos siguieron casi la misma trayectoria de desarrollo: la palabra, jeroglíficos esculpidos en piedra, luego piel de venado y papel fabricado de fibras de cactáceas y de corteza.

keeping records of tributes and commercial transactions. Equally large amounts were used in the elaboration of codices or native documents, books and histories. The CODEX MENDOZA, one of the tribute books of MOCTEZUMA II (1502-1520), Lord of Tenochtitlan, identifies forty-two centers of papermaking and records that two cities, *Amacoztitlan (amatl*-paper, *coztic*-yellow, *tlan*-place of, Place of the Yellow Paper) and *Itzamatitlan (itztli*-obsidian, *amatl*-paper, *tlan*-place of, Place of the Obsidian or Black Paper) paid a tribute of nearly half a million sheets of paper every year.

The great Spanish historian of the Aztecs, FRAY BERNARDINO de SAHAGÚN devotes a whole volume of his monumental history to describing the spectacular rites and ceremonies which took place during the 18-month native year, and all used symbolical costumes and decorations made of reeds and colored bark paper.

Enormes cantidades de papel eran empleadas en la elaboración de los códices, tanto religiosos y mágicos como genealógicos e históricos, así como en la contabilidad de las transacciones comerciales y cuentas de los tributos. Además el papel era empleado extensamente en los adornos festivos de los pueblos y en las ceremonias religiosas y profanas. Papeles con las puntas untadas de hule eran quemados como ofrendas y la indumentaria y decoraciones simbólicas que llevaban los sacerdotes durante sus ritos también eran hechos de papel. El CÓDICE MENDOCINO, uno de los libros en que se anotaron los tributos que recibía MOCTEZUMA II, Señor de Tenochtitlán, (1502-1520) identifica cuarenta y dos centros de fabricación de papel y anota que sólo dos poblaciones, *Amacoztitlan (Amatl*-papel, *coztic*-amarillo, *Tlan*-lugar, Lugar del Papel Amarillo) y *Itzamatitlan (Itztli*-obsidiana, *amatl*-papel, *tlan*-lugar, Lugar de la Obsidiana o del Papel Negro) pagaban un tributo anual de casi medio millón de hojas de papel.

El preclaro historiador de los aztecas, FRAY BERNARDINO DE SA-

Stunning illustrations of these brilliant vestments, which were worn by priests representing gods and cosmological concepts, abound in the few remaining codices, especially in the BORGIA, FÉJÈRVARY-MAYER and the BORBONICUS. There are more than two hundred Aztec terms related to paper and writing in MOLINA's "Vocabulario de la lengua mexicana" and in SAHAGÚN's writings. Among them we find the following which can be identified with sacred paper ornaments.

MOTOLINÍA records in his authoritative Historia (C. XIX): "They make good paper from *metl* (cactus, maguey *Agave atrovirns)*, the page is as large as two of our own and of this paper they make a lot in *Tlaxcallan* ... There are other trees from which they also make paper in the lowlands and of this bark paper they used a great quantity. The tree and paper is called *amatl* and by this

HAGÚN, dedica todo un volumen de su monumental "Historia de las Cosas de Nueva España" para describir los ritos y ceremonias que se celebraban durante los dieciocho meses del año indígena. En todas estas festividades se usaban trajes y decoraciones simbólicas hechos de carrizos y papel de corteza. En los Códices BORGIA, FÉJÈRVARY-MAYER, Y BORBONICUS se pueden admirar pasmosas ilustraciones del vestuario que lucían los sacerdotes cuando representaban a los dioses y ciertos conceptos cosmológicos.

El "Vocabulario en lengua castellana y mexicana" del insigne FRAY ALONSO DE MOLINA registra más de doscientos vocablos nahuatl relacionados con el papel de corteza y la escritura. Entre ellos encontramos los siguientes que se refieren a ciertos ornamentos sagrados hechos de papel.

MOTOLINÍA en su descripción del Arbol o cardon llamado *metl* o maguey nos cuenta (C. XIX): "de muchas cosas que de él salen, ansí de comer como de beber, calzar y vestir: de otras muchas cosas de que sirve, y de otras muchas propiedades. Hácese

FIG. 20. Priest wearing elaborated paper cos-
tume and adornments.

FIG. 20. Sacerdote adornado con papeles
simbólicos.

AMACALLI	Paper Crown or miter, a special attribute of *Chicomecoatl*, 7-Serpent, goddess of corn and agriculture. The Spanish chroniclers called her Goddess of Sustenance, La Diosa de los Mantenimientos.
AMACAPANALLI	Paper stoles worn by the priests.
AMACOPILLI	Cone-shaped head gear made of paper.
AMACUEXPALLI	Imitation paper hair.
AMAMAXTLI	Paper breech clout.
AMAPANTLI	Flags made of paper.
AMAPATLACHTLI	Flag-like paper decorations sewed on the vestments with colored thread.
AMAQUEME, AMAQUEMITL	Vestment or dress made of paper.
AMATEUTL	Skeleton adorned with papers, which symbolized the imprisoned soul after being sacrificed.
AMATETEHUITL	Sacred insignias made of paper decorated with drops of liquid rubber.
COTCEUATL	Paper bracelets.
TETEHUITL	Paper decorations placed on cane spears, which were carried by the maidens during the fertility rites.
TLAQUECHPANIOTL	Fan-like ornament placed on the back of the head.
YIATAZTLI	According to LENZ (1950:20) ceremonial paper bag.

AMACALLI	Corona o mitra de papel, atributo de *Chicome-coatl*, 7-Serpiente, deidad del maíz y de la agricultura. Los cronistas la llamaban diosa de los mantenimientos.
AMACAPANALLI	Estolas de papel usadas por los sacerdotes.
AMACOPILLI	Penacho cónico hecho de papel.
AMACUEXPALLI	Imitación del cabello en papel.
AMAMAXTLI	Maxtlatl hecho de papel.
AMAPANTLI	Banderas fabricadas de papel.
AMAPATLACHTLI	Decoraciones en forma de banderines.
AMAQUEME, AMAQUEMITL	Trajes hechos de papel.
AMATEUTL	Esqueleto adornado con papeles que simbolizaban el alma aprisionada después del sacrificio ritual.
AMATETEHUITL	Insignias sagradas hechas de papel decorado con gotas de hule líquido.
COTCEUATL	Brazaletes hechos de papel.
TETEHUITL	Decoraciones de papel puestas en lanzas de caña que eran llevadas por las doncellas durante los ritos de fertilidad.
TLAQUECHPANIOTL	Ornamento en forma de abanico llevado en la nuca.
YIATAZTLI	Según LENZ (1948:20) bolsa ceremonial de papel.

name they call letters and books". This generical name for the tree, its fibers and the objects derived from them corresponds to the Tarascan and Maya terms for paper and objects made from paper, which are *Siranda* and *Huun.*

In the same chapter MOTOLINÍA makes a provocative observation on native papermaking when he writes: "From these leaves [of the *metl* or cactus], torn into pieces, the masters that worked plumes and feathers with gold, called *amanteca,* make a paper of glued cotton as thin as a delicate coif [a close-fitting cap, like a small hood], and on this paper they draw on the leaf all their designs. It is one of the main products of their calling. All the painters as well as many workmen use these [cactus] leaves to great advantage, even those who make houses use them to carry clay and also as water drains."

del *metl* buen papel: el pliego es tan grande como dos pliegos del nuestro, y desto se hace mucho en *Tlaxcallan,* que corre por gran parte de la Nueva España. Otros árboles hay de que se hace en tierra caliente, y desto se solía hacer y gastar gran cantidad: el árbol y el papel se llama *amatl,* y este nombre llaman a las cartas y al papel y a los libros [de] los españoles, *amatl:* el libro su nombre se tiene." Este nombre genérico para el árbol, sus fibras y los objetos derivados de ellas se encuentra también entre los mayas y tarascos quienes le llaman *Huun* y *Siranda* respectivamente.

En el mismo capítulo MOTOLINÍA hace una observación provocativa que debe aclararse por los expertos. Escribe MOTOLINÍA: "De estas pencas [de maguey o metl] hechas pedazos se sirven mucho los maestros, que llaman *amanteca,* que labran de pluma y oro: encima de estas pencas hacen un *papel de algodón engrudado,* tan delgado como una delgada toca [prenda de abrigo o adorno para la cabeza], *y sobre aquel papel* y encima de la penca labran todos los dibujos, y es de los principales instrumentos de

58

Besides paper made from cactus and *amatl* and, according to MOTOLINÍA, also from cotton, LENZ calls attention to that made from the bark of the rubber tree, already mentioned by MOTOLINÍA, when he writes of "other trees from which they also make paper in the *lowlands*". LENZ also mentions a delicate paper-like substance used by the Aztecs, produced by caterpillars, which he identifies with the genus *Eucheria socialis WESTU* (1960:70). Incidentally, the Nahuatl name for bark cloth or Tapa is *Amacuahuitl* (*Amate*-paper. *cuahuitl*-tree).

The widespread use of white and dark paper in sorcery practices is very old in Mexico and the symbolism of the two colors is significant. The color black and dark colored paper is associated with black magic, with priests and wizards. Black is the color of the West, where the flaming sun endures self-sacrifice and is swal-

su oficio. Los pintores y otros oficiales se aprovechan mucho destas hojas; hasta los que hacen casas, para servir de barco tenían un pedazo, y llevan allí su barro: también sirven de canales."

El papel en Mesoamérica era hecho en gran parte de la corteza del *ficus*, un árbol de higo silvestre miembro de la gran familia *Moraceae* o morera. VICTOR VON HAGEN observa (1944:38): "Esta familia Moraceae no sólo proveyó las fibras para el primer papel asiático sino también para el de Micronesia, el de Africa y el de las Islas Celebes. También de él se deriva la Tapa o tela de corteza usada en Polinesia. El árbol del higo silvestre y sus especies aliadas plantean al etnólogo un ejemplo pertinente de la evolución paralela entre pueblos primitivos apartados geográficamente." En México existen más de cincuenta especies de este árbol conocidas por el vocablo nahuatl de *Amaquahuitl*, Arbol del Papel, y por la toponimia podemos identificar muchos pueblos que antaño fueron centros productores de papel: Amacuitlapilco, Amayuca, Amatlan, Amamitlan, Amatepec y muchos otros.

lowed by the Earth Monster in order to become the Sun of the Night and be reborn again the next day. The Principle of Duality which gives depth and global meaning to native religious and philosophical concepts is apparent. Black is also the color of obsidian, the sacred stone of *Tetzcatlipoca,* Smoking Mirror, the violent and powerful Aztec Jupiter.

The color white and light colored paper is only used in white magic in order to counteract the effects of dark magic. White is the color of the North and symbolical of purity and goodness. It is the color which represents *Quetzalcoatl,* Feathered Serpent or Divine Twin (esoteric name of the planet Venus), the beneficent, creative deity associated with science, beauty and Christ-like teachings. *Quetzalcoatl* is the double or counterpart of *Tetzcatli-*

Además del papel hecho de cactáceas y de amate, el acucioso investigador HANS LENZ nos informa (1950:70) que los aztecas usaban la corteza del árbol de hule (ya mencionado por MOTO-LINÍA), una substancia delicada parecida a papel producida por orugas que él ha identificado con el género *Eucheria socialis Westu.* Por cierto que él término nahuatl para la tela de corteza, llamada Tapa es *Amaquemitl (Amatl*-papel, *quemitl*-vestimenta). Los árboles del género ficus de los cuales se desprende la corteza se llaman *Amacuahuitl (amatl*-papel, *cuahuitl*-árbol).

El empleo de papel de amate de color negro y blanco para "brujerías" es antiquísimo en Mesoamérica y el significado de dichos colores sumamente interesante. El color negro caracteriza a los sacerdotes, hechiceros y nigromantes. También es el color de la dirección poniente en donde muere el sol simbólicamente para tornarse en el sol nocturno y poder renacer al día siguiente.

El color negro se identifica con *Tezcatlipoca,* el Lucifer de la mitología mesoamericana. Las leyendas y los mitos atestiguan su

FIG. 21. Pre-Columbian papermaking centers
according to LENZ.

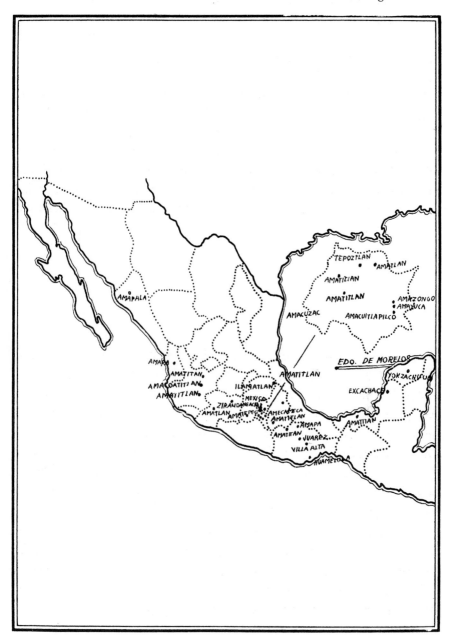

FIG. 21. Centros prehispánicos productores
de papel según LENZ.

poca and both embody the concept of good and evil as inseparable as life and death.

BODIL CHRISTENSEN points out (1942:113): "the dark paper dolls used in black magic [among the Otomies of the Sierra de Puebla] are destroyed after each ceremony, while those made of white paper and used for beneficent purposes are saved."

Paper in Mexico was made largely from the bark of a *Ficus* (a wild fig tree) member of the great and varied *Moraceae* tree family. VICTOR VON HAGEN makes an interesting observation (1944: 38): "This family [*Moraceae*] not only provided the fibers for early Asiatic paper but from it Tapa bark-cloth is made in Polynesia and Micronesia, as well as in Africa and Celebes. The fig tree and its allied species thus provide the comparative ethnologist with a pertinent example of parallel evolution everywhere among primitive peoples." There are more than fifty species of this tree

antigüedad y sus asociaciones con la magia primitiva. Su color es igual al de su piedra que es la obsidiana *(itztli)*, que da la vida en forma de dardos y puntas de flechas, y también la quita con las navajas de obsidiana de las macanas y el cuchillo del sacrificio. Su ave es el guajolote y su nahual o disfraz, el jaguar en cuya forma se le conoce como *Tepeyolohtli,* "el corazón del monte". *Tezcatlipoca* se identifica con el dios quiché *Hurahan,* nombre del cual se deriva el vocablo huracán en los idiomas modernos.

El color blanco como símbolo de pureza y altura de miras morales y estéticas es el color de *Quetzalcóatl,* deidad asociada con la sabiduría, la ciencia, el humanismo y el arte. *Quetzalcóatl* como deidad creadora y civilizadora implica un concepto avanzado y es exponente de un culto muy antiguo y muy perfeccionado. No se podía esperar menos de un numen que surge de grupos mayances y del área cultural por excelencia, la del sureste de México. Hay muchas razones para tomar en cuenta la posibilidad de un origen oriental del *Quetzalcóatl* histórico (MARTÍ: 1971:64).

Fig. 22. Location of San Pablito, Puebla only
surviving papermaking center in Mexico.

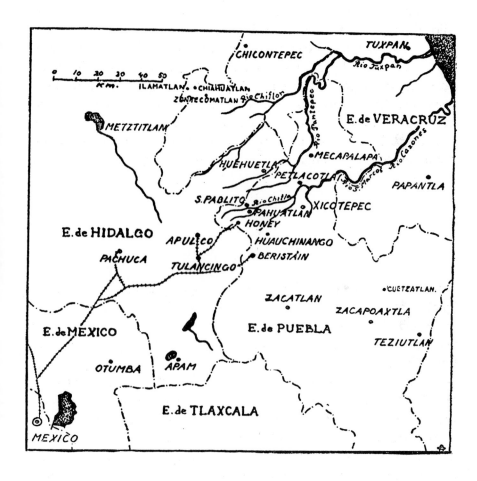

Fig. 22. Ubicación de San Pablito, Puebla,
único centro productor de papel indígena en
México.

to be found in Mexico, where they are known by the Nahuatl name of *Amaquahuitl,* Paper Tree. Many former papermaking centers can be identified by their prefix *amatl* such as *Amatlan, Amacuzac, Amayuca, Amatepec, Amatla,* etc.

In the religious syncretism which occurred during the implacable persecution of the natives. Indian religious and magical concepts and practices persisted, and the manufacture of native paper flourished in many villages. Today, San Pablito, an Otomi village with scarcely 1800 inhabitants, situated in the misty heights of the Sierra Madre mountains in the State of Puebla is the only remaining important center of the ancient art of papermaking, and of the hoary ceremonies connected with it.

San Pablito has an agricultural economy based on corn, strengthened by the manufacture of woolen cords decorated with beads and

La piedra de *Quetzalcóatl* es el *chalchihuitl,* piedra preciosa, llamada jade por los europeos y muy apreciada entre los indígenas como piedra sagrada y con poderes mágicos. Su ave es el quetzal, símbolo solar. La presencia e influencia de *Quetzalcóatl* se presiente en toda Mesoamérica, y su culto bajo las advocaciones de *Kukulcán, Votán,* y *Gocumatz* se extiende desde el norte de México hasta América Central.

Dentro del sincretismo religioso que ocurrió durante la implacable persecución de los sacerdotes a raíz de la conquista los conceptos y prácticas religiosas y mágicas persistieron entre los nativos y la fabricación de papel floreció en muchos lugares. Hoy en día solo San Pablito, un pueblito otomí con escasos dos mil habitantes situado en los picachos de la Sierra Madre en el Estado de Puebla, es el único centro importante que queda del arte añoso de fabricar papel y de las ceremonias antiguas en que se suele usar por los brujos y hechiceros.

San Pablito tiene una economía agrícola basada en el cultivo

woolen tassels which are worn by native women in their head-dresses. They also embroider *quechquemitl*, an indispensable cape-like feminine article of clothing. These articles of trade are supplemented by the production of a large amount of bark paper. All these activities are carried out by women. It should be stressed that, as in Polynesia and Africa, paper is manufactured exclusively by women. However in recent years the demand for bark paper has been so great that men as well as women make it and sell it through their own paper cooperative.

"Like other Otomi villages, San Pablito has specialized in a particular field of endeavor that affords its inhabitants income above that derived from farming and marketing their produce. However, unlike other villages —such as Tultepec, which specializes in woven figurines and reed mats— San Pablito is renowned

del maíz fortalecida con la fabricación de collares de semillas y de chaquira, y de cordones de lana adornados con cuentas y borlas que usan las nativas en sus trenzas. Además bordan *quechquemitl*, prenda femenina tradicional en forma de capa corta que también les sirve para llevar objetos y para protegerse del sol, y sobre todo como un adorno muy atractivo. Estos artículos de comercio son suplementados con la producción de grandes cantidades de papel de amate.

Con excepción de las faenas agrícolas, todas estas actividades las llevan a cabo las mujeres quienes además cumplen con sus quehaceres domésticos. Subrayemos que hasta hace poco, y al igual que en Africa y la Polinesia, el papel era fabricado exclusivamente por las mujeres. Actualmente es tal la demanda que también los hombres suelen trabajar el papel y hasta se ven obligados a comprar fibra en lugares apartados, ya que han acabado con los árboles de la región.

"San Pablito, al igual que otros poblados otomíes, se ha espe-

as a village of *brujería,* or witchcraft. Even the geography seems to endorse this activity for San Pablito is isolated and not easily accessible. It is surrounded by semitropical vegetation and can be reached only by foot or on horseback over a narrow path that winds upward from the San Marcos River. In the village itself the houses are widely separated from each other by bushes and trees (figs. 1-2).

"In San Pablito each family has its preferred *brujo* (male witch) or bruja (female witch); either is acknowledged as efficacious, but *brujos* more then double the number of *brujas.* A *brujo* can work either black or white magic; his main functions are healing, all activities related to illness, good or bad, and conjuring (Spranz, 1961), and any area in which assistance is requested. The most common ailments that the *brujo* is called upon to cure are. "the

cializado en una ocupación propia que les permite aumentar sus entradas que reciben de la venta de sus productos agrícolas y de artesanía. Sin embargo diferiendo de otros pueblos como Tultepec que se ha especializado en figuras tejidas y petates, San Pablito es renombrado como un centro de brujería. Hasta la geografía parece favorecer esta actividad, ya que San Pablito se encuentra aislado y poco accesible al mundo exterior. Esta rodeado de una vegetación semi-tropical y sólo se puede llegar a pie o a caballo siguiendo una vereda estrecha que sube desde el Río San Marcos. Las casas del pueblo están separadas y medio ocultas por una cortina de arbustos y árboles (figs. 1-2).

"En San pablito cada familia tiene su brujo, o bruja, preferido. Los dos son considerados eficaces, pero hay muchos más brujos que brujas. Un brujo puede ejercer la magia negra o la magia blanca y sus funciones principales son las de curandero. El brujo se ocupa de todas las actividades relacionadas con las enfermedades, buenas o malas, es decir produciéndolas o curándolas, y

evil eye" and "loss of heart". He can also cause death, largely through fear and suggestion, and he can at will have conversations with the devil or with the good or bad airs —a series of well-defined winds that have all of the consciousness and much of the carpriciousness of humans. These airs are, in fact, superhuman, and can help or hinder, cure or destroy. Some are evil, some are good, and some have qualities of both; but all must be acknowledged and propitiated.

"There are approximately four *brujos* to each one hundred persons in the community. The occupation is hazardous, and, because of fear, lonely. In 1966 a *brujo* was killed by a machete-wielding villager who claimed that a spell had been put on him. The wife of the *brujo* was also fatally slashed and his son was seriously injured. An only child of a *brujo* usually becomes one also, for the training is passed from parent to child.

además practica conjuros y exorcismos. Sus poderes se hacen sentir en los campos de la medicina, la agricultura, el amor y la adivinación. En otras palabras, en cualquier problema que se le consulte.

"Las dolencias más frecuentes son "el mal de ojo" y la "pérdida del corazón". El brujo también puede causar la muerte por medio de la sugestión y el miedo, además puede conversar con el diablo o con los 'aires', buenos o malos. Estos 'aires' son una serie de vientos que tienen la conciencia y muchos de los caprichos de los seres humanos. Estos 'aires' son de hecho sobrehumanos y pueden ayudar o estorbar, curar o destruir. Algunos son malignos o perversos [¿Espíritus chocarreros?], algunos beneficiosos, y otros gozan de ambas cualidades. En todo caso estos 'aires' deben ser reconocidos y propiciados.

"En San Pablito hay aproximadamente cuatro brujos por cada cien habitantes. La ocupación de brujo es peligrosa y señera debido al temor. En 1966 un brujo fue macheteado y muerto por un hombre que alegó que lo había hechizado. La esposa del brujo

"The number of years required to learn the many plant and animal substances that are endemic to these Otomi is undocumented, and there is no pharmacopoeia. The only detailed written materials of their folk medicine have to do with the use of paper figures in their healing herbs" (Lannik et al, 1969:6).

Papermaking is done individually, not collectively. The men procure the necessary bark and the women make the paper following a process which is essentially the same as the one used for hundreds of years. This process, although relatively simple, requires skill, patience and experience in order to produce an adequate grade of paper.

The bark with the bast, or inner fibers, is separated from the trunk of the tree. This is usually done in the spring, just before the rainy season, and as BODIL CHRISTENSEN writes "cuando la luna

también fue brutalmente tasajeada y su hijo fue herido gravemente. El único hijo del brujo por regla general sigue la profesión de brujo ya que el oficio es tradicionalmente transmitido de padres a hijos.

"El número de años que se requieren para aprender las ceremonias, conjuros, exorcismos, hechizos, y las plantas y sustancias animales empleadas por estos shamanes no se ha documentado, tampoco existe una farmacopea. Los únicos datos escritos se refieren al uso de muñecos de papel en sus ceremonias curativas (Spranz, 1961; Palm, 1964; Lannik et al, 1969; Montoya y Jesús, 1961."

Por tradición el papel se hace individualmente y no en forma colectiva. Los hombres son los encargados de procurar la fibra y las mujeres hacen el papel siguiendo un método que es esencialmente el mismo que se ha empleado en Mesoamérica por cientos de años. Este proceso aunque sencillo requiere mucha habilidad, y mucha paciencia y experiencia, para lograr un papel de buena calidad.

está tierna", when the moon is young. This is done either for magic-religious reasons or for the practical one that at this time the sap-rich fibers are easier to separate. Next the fibers (liber) are detached from the outer bark by hand. Then the fibers are washed, usually in a nearby stream, in order to remove the milky sap (latex), which the natives call "leche" (milk). If the fibers are for future use they are dried and stored. Otherwise, once thoroughly washed, they are boiled over a slow fire for several hours. As a rule they put ashes from the hearth (carbonate of potassium) or some of the limewater used in preparing their corn meal into the boiling water. After having been boiled and then cooled the fibers are ready for the actual making of the paper.

The artisan places the strips of fiber into a wooden container filled with clean water called a "batea" and then forms a rectan-

La corteza con su fibra o líber interior se desprende del tronco del árbol. Generalmente, se hace esto en la primavera antes de la temporada de lluvias y según escribe BODIL CHRISTENSEN "Cuando la luna está tierna". Esto puede ser por razones mágico-religiosas o por la sencilla razón de que es cuando las fibras están más le-chosas y se pueden separar del árbol con mayor facilidad. Una vez desprendidas las fibras éstas son a su vez separadas de la cor-teza y lavadas en algún manantial o arroyo cercano. Esto se hace para quitarles la savia o latex que los nativos llaman "leche". En seguida las fibras que no se van a usar son secadas al sol y guar-dadas, ya sea para su venta o para usarlas posteriormente. En caso contrario una vez lavadas concienzudamente las fibras se ponen a hervir a fuego lento por varias horas. Por regla general se le pone al agua hirviente algunas cenizas del fogón (carbonato de potasio) o un poco de la cal que usan para el nixtamal (maíz medio co-cido en agua de cal para preparar la masa con que hacen las tortillas). Después de hervidas y puestas a enfriar al aire las fibras quedan listas para elaborar el papel.

gular pattern, divided into two or three parts, with strips of fiber on a smooth wooden board. In case of a large sheet of paper the strips are laid in numerous rectangles or squares. Then the strips are skillfully macerated against the board with a grooved beater until they are felted together into a sheet. The beater (*amahuitequini, amatl*-paper, *tequi*-work or beater) is usually of stone and has an ovoid or rectangular shape, also a slot on its sides for easier handling.

The size of the wooden board and the amount of fiber determines the size and thickness of the sheet of paper. Each board is used on both sides and once the sheets are formed they are set out to dry in the sun. The whole process is carried out with the characteristic hieratic intensity and dedication to the appointed task which distinguishes native artisans.

La artesana coloca las tiras de fibra dentro de una "batea", recipiente de madera, llena con agua limpísima, y luego forma con tiras de fibra sobre una tablita de madera muy lisa un diseño rectangular dividido en dos o tres partes. En el caso de una hoja grande las tiras se colocan sobre la tabla en varios rectángulos o cuadrados. Luego las tiras son aplanadas contra la tabla con una planchita de piedra hasta lograr formar la hoja. La planchita con que se aplanan las fibras se llama *amahuitequini* (*amatl*-papel y *tequi*-trabajo). Este tiene una forma rectangular u ovoide, y ya sea una agarradera arriba o ranuras a los lados para manejarla con más facilidad. Estos artefactos son idénticos a los que se han encontrado en los sitios arqueológicos.

El tamaño de la tabla de madera y la cantidad de fibra empleada determinan el tamaño y grosor de la hoja de papel. Por cierto que la tabla es usada en ambos lados y una vez formadas las hojas éstas se ponen a secar al sol.

Análisis de los códices prehispánicos ha demostrado que los "tla-

Fig. 23. Xocotl Huetzi, rito de fecundidad azteca celebrado alrededor de un tronco de árbol adornado con banderas gigantescas hechas de papel. CÓDICE BORBONICUS, lámina 28.

Analysis of old codices have shown that the Aztecs used a gluey substance called *amatzauhtli*, paper glue *(epidendrum pastoris, Orchidaceae)* to cement several sheets into a desired thickness and size. This was undoubtedly the method used in preparing the sheets for the codices and in making the gigantic banners and elaborate adornments used in some of their rites, like the huge banners of *Xocotl huetzi*.

According to SAHAGÚN (Anderson and Dibble 1951:105): "The priests adorned a tall trunk of a tree: and the xocotl image they fashioned [as] of flesh; a dough of fish-amaranth seeds mixed with maize they formed [for this]. They provided pure white papers for it, which they set in place. They bore no design.

"Upon it they set [these]: its shoulder sash of paper; its paper breech clout; its papers designed with falcons: its wig made of

cuilos" o escribanos indígenas usaban una substancia gomosa llamada *amatzauhtli*, goma para papel *(Epidendrum pastoris, Orchidaceae)* para aglutinar varias hojas de un tamaño y grosor determinados.

Este fue, sin duda alguna, el procedimiento usado para preparar las hojas para los códices y para hacer las banderas gigantescas y los ornamentos vistosos empleados en algunas de las ceremonias. Tal es el caso de las enormes banderas con que adornaban el tronco simbólico del lingham fecundando la tierra en la festividad del *Xocotl Huetzi* celebrado durante el décimo mes del mismo nombre.

SAHAGÚN anota (L. II. c. xix): "Al décimo mes llamaban *xocotl huetzi*. En pasando la fiesta de *tlaxochimaco* cortaban un gran árbol en el monte, de veinte y cinco brazas de largo y habiéndole cortado, quitábanle todas las ramas y gajos del cuerpo del madero y dejaban el renuevo de arriba del guión; y luego cortaban otros maderos, y hacíanlos cóncavos, echaban aquel madero encima de

paper; its xocotl shirts [of which there were] two. These were not put on, but were attached to the tree, in two incisions. Likewise they placed in another incision large pieces of paper, wide —a yard wide— and ten fathoms long, reaching down one-half the length of the xocotl."

Among the many objects and adornments made of paper described by SAHAGÚN is the sacral "papelon", Great Paper (Anderson and Dibble 1951:69): "And yet one more thing they caused to be spread before him [*Huitzilopochtli*, tutelar solar deity of the Aztecs] they cast down what was named the sacred roll. In this form it was named his breech clout.

"And this was a paper, white paper and not yellow paper, a finger thick, a fathom wide, and twenty fathoms long. With ceremonial arrows, arrows hardened in fire, they supported it; they

ellos y atábanle con maromas, y llevábanlo arrastrando y no llegaba al suelo porque iba sobre los otros maderos, porque no se rozase la corteza.

"...Acabado ésto, los sátrapas, aderezados con sus ornamentos, componían el árbol con papeles; ayudábanles los que llaman *quaquacuiltin,* y los que llamaban *tetlepantlazque,* que eran tres muy altos de cuerpo... [y] ponían estos papeles con gran solicitud y bullicio. También componían de papeles a una estátua, como de hombre, hecha de masa de semillas de bledos.

"Este papel con que le componían era todo blanco, sin ninguna pintura ni tintura é poníanle en la cabeza unos papeles cortados como cabellos, y unas estolas de papel de ambas partes, desde el hombro izquierdo al sobaco derecho, y en los brazos poníanlos papeles como alas donde estaban pintadas imágenes de gavilanes, y también un maxtle de papel.

"Ponían arriba unos papeles a manera de *huipil,* uno de la una parte y otro a la otra a los lados de la imagen, y en el árbol,

were made only that they might carry [the papelon]; that this breech clout might be carried. In three places were they plumed with white turkey feathers: first on the point, second on the shaft and third on the end.

"When they had ornamented [the figure of Huitzilopochtli], the young, seasoned warriors, the masters of the youths, and the youths took it up. His breech clout went stretched and spread out before him. They went in processions; they went dancing [and singing]." When they began to climb up the stairs of the pyramid "Then they start rolling, winding, and reeling [the breech clout] up, coiling it. As they went rolling up his breech clout, the officials prooceeded to take up, gathering and collecting them together, the ceremonial arrows. And when they had come to the top, when they had raised [the figure of *Huitzilopochtli*] to the summit, then

desde los pies de la imagen, colgaban unos papeles largos, que llegaban hasta el medio del árbol, que andaban revolando; eran estos papeles anchos como media braza, y largos como diez brazas."

SAHAGÚN menciona muchos objetos y adornos hechos de papel entre otros el "papelón" sagrado a *Huitzilopochtli* (L. II, c. xxiv): "Otro ornamento hacían para honra de este dios, que era un papelón que tenía veinte brazas de largo y una de ancho, y un dedo de grueso; este papelón lo llevaban muchos mancebos recios delante de la imagen, asidos de una parte y de otra del papelón, todos delante la imagen; y porque el papelón no se quebrase llevábanle entablado con unas saetas que ellos llamaban *teumitl*, las cuales tenían plumas en tres partes, cabe el casquillo y en el medio y al cabo, e iban estas saetas una debajo y otra encima del papel; llevábanlas dos, uno de una parte y otro de otra, llevándolas asidas ambas juntas con las manos, y ellas apretaban el papelón, una por encima y otra por debajo.

"... y los que llevaban el papelón subían delante, y los que

they placed upon the serpent bench [the paper roll]. They placed it before him; they bound it to [the serpent bench]; they bound it on tightly and firmly. When they had come to place it there, then all came down; and there remained the officials, the priests, the guardians who guarded it."

Recently the increasing demands of artists and decorators have encouraged the paper makers of San Pablito to make larger sheets besides the traditional book-size "atados" or "bultos" —bundles of sheets employed in magical rites. Incidentally, the natives of Ameyaltepec, Guerrero, on the road to Acapulco are the largest consumers of bark paper from San Pablito. Ameyaltepec is unique in that it is a village of *tlacuilos* or painters, who paint traditional and colonial designs on bark paper which they sell in Acapulco, Cuernavaca, Mexico City and even as far north as Monterrey, Tijuana and museums in the United States.

llegaban primero a lo alto comenzaban a coger el papel enrollándole; así como iban subiendo iban enrollando con gran tiento, para que no se quebrase ni rompiese; y las saetas íbanlas sacando y dábanlas a quien todas y juntas las tuviese, hechas un haz."

Hace algunos años que los artesanos de San Pablito fabrican hojas de diferentes tamaños para los pintores y decoradores además de los "atados" o bultos tradicionales con las hojas más pequeñas que se emplean en los ritos mágicos. Por cierto que sus mejores clientes son los nativos de Ameyaltepec, Guerrero, situado a un lado de la carretera a Acapulco antes de llegar a Chilpancingo. Ameyaltepec es único en el mundo ya que todos, grandes y chicos, se dedican a pintar temas decorativos con colores de agua sobre el papel de amate que adquieren en San Pablito. Ellos mismos se encargan de vender sus "papeles" en Acapulco, Cuernavaca, la Capital, Monterrey y hasta en las ciudades fronterizas de Matamoros, Nuevo Laredo y Tijuana. Estos "pochteca", comerciantes, son tan dinámicos que han logrado crear tal demanda

These enterprising *'pochteca'* merchants have created such a demand for their unique paintings that now practically every village in their region imitates them.

The color of the paper depends on the species and age of the fibers from which it is made. Authorities generally agree on the following classification:

The liber from *Ficus Goldmanii, Ficus sp.,* and *Urera baccifera* are used in making dark magic paper. *Morus celtidifolia* and *Ficus tecolutensis* are used in making paper for white magic.

Von Hagen writes (1944:59); "The Aztec natives of Chicontepec, Veracruz use the same technique as the Otomis but instead of a stone planche [beater], they use a fire hardened corn-cob. Their paper, which they call *cuauh-amatl* [*cuauh*-tree, *amatl*-paper], is tougher, thicker and finer than that of their Otomi neigh-

para sus vistosos papeles pintados que ahora casi todos los pueblos a lo largo de la carretera los imitan, y algunas veces los superan, como en el caso de la familia Pérez de Xalitla, Guerrero.

El color del papel depende de la especie y edad de la fibra de la cual se ha elaborado. Los pocos expertos en esta materia están de acuerdo en la siguiente clasificación y sus colores:

El liber del *Ficus Goldmanii, Ficus sp.,* y *Urera baccifera* son escogidos para hacer el papel oscuro que se usa en los ritos de magia negra o de maleficio. *Morus celtidifolia* y *Ficus tecolutensis* son empleados para hacer los papeles para la magia blanca.

Von Hagen apunta (1942:59): "Los nativos de Chicontepec, Veracruz, emplean la misma técnica que los otomíes, pero en vez de usar una planchita de piedra usan una mazorca endurecida al fuego. Su papel que llaman *cuauh-amatl,* (*cuauh*-árbol, *amatl*-papel), es más resistente y mejor acabado que el de sus vecinos otomíes. Las hojas generalmente miden unos 22 por 55 cm. La industria del papel está a cargo de las mujeres al igual que entre

XALAMATL	*Ficus Goldmanii,* purplish color.
XALAMATL GRANDE ITZAMATL	} *Ficus sp.,* blackish, brownish color.
XALAMATL BAYO	*Ficus sp.,* bay colored.
TEOCHICHICASTE	*Urera baccifera,* grayish color.
XALAMATL LIMON	*Ficus tecolutensis,* whitish, yellowish color.
MORAL	*Morus celtidifolia,* white color.

XALAMATL	*Ficus Goldmanii,* color purpurino.
XALAMATL GRANDE ITZAMATL	} *Ficus sp.,* color oscuro tirando a café.
XALAMATL BAYO	*Ficus sp.,* color bayo.
TEOCHICHICASTE	*Urera baccifera,* color gris.
XALAMATL LIMON	*Ficus tecolutensis,* color blanquisco, amarillento.
MORAL	*Morus celtidifolia,* color blanco.

bors. The finished sheets measure approximately 22 by 55 cm. Papermaking is the woman's task as it is among the Sumus of Honduras, and the tapa-making tribes of Africa and the Celebes.

"The Aztecs of Chicontepec use almost the same papermaking plants as the Puebla Otomis: *Ficus padifolia,* here called *Cilamatl; Ficus involuta* called *tecomaxochiamatl* (an edible fig.); the nettle *Urera baccifera,* called *teotzitzicaztli;* the Mulberry, and one not Moracea—the bull's horn acacia, *Acacia cornigera,* called *huitzmamaxalli.* The inclusion of this acacia is due to the increasing scarcity of the wild fig tree."

It should be mentioned that according to LENZ (1950:105):"The so-called bark paper made in the Mazatec region of the State of Oaxaca and by the Lacandones of Chiapas and Guatemala, is not made by felting the boiled fibers with a beater, but by merely

los Sumus de Honduras y las tribus africanas y de las Celebes que hacen Tapa [tela de papel].

"Los aztecas de Chicontepec usan casi las mismas plantas para hacer su papel que los otomíes de Puebla: *Ficus padifolia,* que llaman *Cilamatl; Ficus involuta,* llamados *tecomaxochiamatl* (un higo comestible); la ortiga *Urera baccifera* llamada *teotzitzicaztli;* Morera y una *Moracea-Acacia cornigera,* llamada *huitzmamaxalli.* La inclusión de esta acacia se debe a la creciente escasez del árbol del higo silvestre."

Conviene tomar nota de que según LENZ (1950:105): "El papel de corteza hecho en la región mazateca del Estado de Oaxaca y por los lacandones de Chiapas y de Guatemala no se hace macerando la fibra hervida con una planchita sino que solo desprenden hojas enteras de la corteza interior del árbol, así que es más bien Tapa o paño de corteza."

Posiblemente la única innovación durante miles de años en la elaboración del papel indígena es la invención de una nueva téc-

Fig. 24. Arranging the fibers in small
squares and rectangles before felting them
into a sheet.

Fig. 24. Arreglando las tiras de fibra en
pequeños cuadrados y rectángulos antes de
aplanarlas.

pulling whole sheets of inner bark off the tree, so it is more like Tapa or bark-cloth."

Possibly the only innovation in the native paper industry during the last millenia has been the invention of a new art media by one of the older women of San Pablito, Doña Camila Hernández. It is a truly original and authentic form of primitive art which could be called Paper Painting, Paper Inlay or Intaglio.

Using an imaginative technique which could be likened to a water mark or perhaps monotype process, the motifs of a contrasting colored paper, dark or light or vice versa, are formed, pounded and dried into the original wet sheet. In this direct manner doña Camila creates paper inlays of incredible texture and bewitching tonalities.

It is a naive, imaginative inspiration which so far has produced

nica por Doña Camila Hernández, nativa de San Pablito, y madre de cinco hijos. Caso insólito en un medio en el cual la mayoría de las mujeres se dedican a la artesanía para ayudar a la economía doméstica, doña Camila sólo se ocupaba de sus quehaceres hogareños, ayudando a la familia con trabajos de costura que hacía en una de las contadas máquinas de coser que existen en la región. A fines de 1963, tomando en cuenta una sugestión, hecha por el que escribe, a uno de sus hijos, doña Camila empezó a fabricar papel y a crear sus ya famosos intaglios.

Dos corrientes artísticas se conjugan en los intaglios de Camila Hernández: la tradición artística milenaria del pueblo otomí, y la también milenaria artesanía de los fabricantes de papel mesoamericanos. La sensibilidad del otomí se revela en sus tejidos y bordados, sobre todo los de sus *quechquemitl* y en las decoraciones de sus vistosas cintas para el cabello y de sus bolsas o morrales hechos de fibra de maguey. Y desde luego en su trato gentil y delicado, y en sus canciones dulces y poéticas, enraizadas en la naturaleza y a veces con detalles picarescos y sensuales.

Fɪɢ. 25. Doña Camila separating a dried
paper inlay from the wooden board.

Fɪɢ. 25. Doña Camila separando uno de sus
intaglios de la tabla de madera.

a limited number of 'papeles', papers, as she calls them. Like all so-called primitive art it is akin in quality and feeling to modern art and the telling creations of Picasso and paleolithic artists.

All the motifs spring from the every-day life, beliefs and surroundings of the village. Among these are the double-headed mythical birds catching squirming snakes with their beaks, which have rain and earthly connotations; the loping, graceful deer and insolent cock as symbols of virility and solar deities; the leaves of the paper tree; wild flowers, and grotesque lizard-like creatures representing the earth and its mysterious renovating power that transforms the kernel of corn into a golden harvest.

A flowing, free sense of design and composition and motifs which stem from, and blend with the colors and shades of the two magic colors are qualities which characterize the "papeles" of

Doña Camila emplea una técnica sencilla que produce una forma novedosa de arte primitivo que podría llamarse intaglio. Con una intuición artística y una maestría asombrosa, la artista dibuja sus motivos con fibra de color contrastado sobre la hoja, y luego los macera hasta lograr que el dibujo forme parte de la hoja misma. Al secarse ésta al sol el dibujo forma parte integral de la hoja de papel de amate.

En esta forma directa, imaginativa e ingeniosa doña Camila crea calidades y luces contrastadas, y tonalidades fascinantes. Se trata de una técnica primitiva original pero de una increíble fluidez y vitalidad. Tanto el dibujo como la composición están enraizadas en las creencias y medio ambiente del pueblo. No cabe duda que se trata del único arte primitivo original que se produce en el mundo. Hasta ahora doña Camila ha producido un número relativamente reducido de sus "papeles", pero entre ellos hay algunos extraordinarios por sus temas y su composición. Como ocurre con todo el llamado arte primitivo sus "papeles" están muy cerca en

doña Camila and differentiate them from the stiff, unimaginative imitations of some of her neighbors. Each one of them exudes a message of renewed faith, hope and tranquil well-being which fits into the ideals of our times. It is an art form which, like the cave paintings of Altamira and Lescaux, expresses ancient magical ideas and beliefs. In the 'papeles' of doña Camila there flowers again the craft of papermaking and the art of the tlacuilos, the creators of the ancient codices.

estilo y motivación del arte contemporáneo, y de las desconcertantes creaciones de Picasso y de los artistas del paleolítico.

Los temas de doña Camila son reiterados, y surgen de la vida cotidiana y de las costumbres y creencias del pueblo. En algunos casos éstos son interpretados con un encantador sentido de ironía y buen humor que nos recuerda el de algunas figurinas de Occidente. Entre ellos resaltan los pájaros mitológicos de dos cabezas estrujando una serpiente con sus picos que simbolizan la tierra y la lluvia; escenas caseras del gallinero; el venadito retozón, gracioso y potente y el gallo insolente y altanero, símbolos de la virilidad y de las deidades solares. No faltan las hojas y las flores de sus jardines y las del árbol de amate, llamado en nahuatl *amacuahuitl*, árbol del papel. Hay algunos papeles con representaciones de las deidades agrícolas tradicionales: El Señor del Cerro, el Señor del Maíz y el Señor del Frijol, así como animalitos grotescos y burlones que simbolizan las energías de la madre tierra y su misterioso poder renovador que transforman al humilde grano de maíz en una mata airosa y en mazorcas doradas (fig. 25).

Una línea fluida, vital y un sentido intuitivo del dibujo y de la composición, así como una temática que nace y se identifica misteriosamente con las tonalidades del papel y de los colores mágicos, son las características que distinguen las obras de doña Camila de las imitaciones torpes de algunas de sus vecinas.

En los "papeles" de doña Camila, hechos con papel de amate según técnicas milenarias, florece nuevamente el arte de los *tlacuilos*, escribas-pintores, del México antiguo.

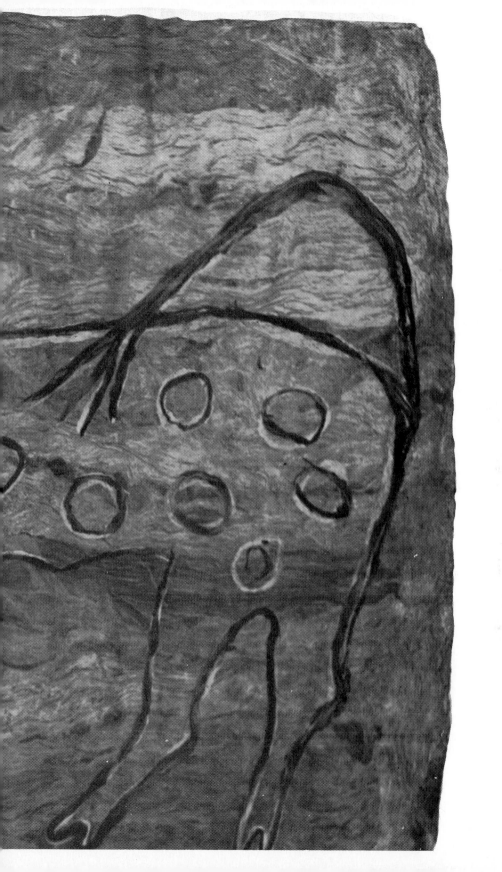

BIBLIOGRAFIA

ANDERSON, J. A. O. and DIBBLE, CHARLES E., 1951. Florentine Codex. General History of the Things of New Spain by Fray Bernardino de Sahagún. Book 2 - The Ceremonies. The School of American Research and The University of Utah, Santa Fé, New Mexico.

- 1953. Florentine Codex. General History of the Things of New Spain by Fray Bernardino de Sahagún. Number 14, Part VIII. Santa Fé, New Mexico.

CARRASCO PIZANA, PEDRO, 1950. Los otomies: Cultura e historia prehispánica de los pueblos mesoamericanos de habla otomiana. Instituto de Historia de la UNAM, Publicación XV, México.

CORDOBA, FRAY J. DE, 1942. Vocabulario Castellano-Zapoteco. 1578. México.

CHRISTENSEN, BODIL, 1942. Notas sobre la fabricación del papel indígena y su empleo para "Brujerías" en la Sierra Norte de Puebla. Revista Mexicana de Estudios Antropológicos, T. VI, 1-2. México.

- 1952. Los Otomís del Estado de Puebla. Revista Mexicana de Estudios Antropológicos, T. XIII, 2-3. México.

- 1962. Los Graniceros. Revista Mexicana de Estudios Antropológicos, T. XVIII, 87-95. México.

- 1963. Bark paper and Witchcraft in Indian Mexico. Economic Botany, Botanical Gardens. New York.

HAGEN, VICTOR WOLFGANG VON, 1944. The Aztec and Maya Papermakers. J. J. Augustin, New York.

HOBGOOD, JOHN, 1959. El curandero. En "Esplendor del México Antiguo", T. II, pp. 861-876. México.

HUNTER, DARD, 1930. Papermaking through eighteen centuries. N.Y.

GILBERTI, MATURINO, 1898. Arte de la lengua Tarasca o de Michoacan. 1559. México.

LANNI, W., PALM, R. L. and TAKTON, M. P., 1969. Paper figures and folk medicine among the San Pablito Otomi. Museum of the Am. Indian, Heye Foundation, New York.

LENZ, HANS, 1950. El papel indígena mexicano; historia y supervivencia. Editorial Cultura, México.

LEONARD, CARMEN COOK DE, 1964. Roberto Weitlaner y los Graniceros. En "Homenaje a Roberto Weitlaner." México.

MARTÍNEZ, MAXIMINO, 1933. Las plantas medicinales de México. Ediciones Botas, México.

MARTI, SAMUEL, 1971. Mudra: Manos Simbólicas en Asia y América. México.

MIRANDA, FAUSTINO, 1946. Algunos comentarios históricos acerca de la fabricación del papel por los aztecas. Cuadernos Americanos, V. 5, Sept.-Oct. México.

MOLINA, FRAY ALONSO DE, 1944. Vocabulario de lengua castellana y mexicana. 1571. Ediciones Cultura Hispánica, Madrid.

MONTOYA, BRIONES Y JOSÉ DE JESÚS, 1961. Aspectos generales de la brujería en San Pablito. Publicaciones del INAH, México.

MOTOLINÍA, FRAY TORIBIO DE BENAVENTE, S. XVI, 1941. Historia de los Indios de la Nueva España. Edición Salvador Chávez Hayhoe, México.

PALM, RAYMOND L., 1966. Indians of San Pablito, Puebla. México.

PERÉZ DE BARRADA, JOSÉ, 1950. Las brujas en el folklore de México. Anuario de la Sociedad Folklórica de México, V. VI, pp. 475-485. México.

SAHAGÚN, FRAY BERNARDINO DE, 1938. Historia general de las cosas de Nueva España. (Advertencia de Wigberto Jiménez Moreno.) México.

SPRANZ, BODO, 1961. Zauberei und Krankenheilung im Brauchtum der Gegenwart bei Otomi-Indianern in Mexiko. Zeitschrift für Ethnologie, Braunschweig.

STARR, FREDERICK, 1904. Notes upon the Ethnography of Southern Mexico. Proceedings of the Davenport Academy of Sciences, V. IX, Davenport.

INDEX

INDICE

DEL MISMO AUTOR • BY THE SAME AUTHOR

MUDRA • MANOS SIMBÓLICAS EN ASIA Y AMÉRICA

Samuel Martí. 2a edición 1992. 16 x 23 cm. 160 páginas con 24 láminas, 61 dibujos y tres
mapas. Rústica plastificado.   ISBN 414-007-0

"I am extremely interested from the historical and artistic point of view, and very specially
from the point of view of the symbolical functions of the hands... I am impressed with the
extraordinary scope of this work."   ERICH FROMM

"Me interesa muchísimo desde el punto de vista histórico y artísitico y muy especialmente desde el punto de vista de la función simbólica de las manos...He quedado im-
presionado por el alcance extraordinario de este trabajo."
ERICH FROMM

MUSIC BEFORE COLUMBUS • MÚSICA PRECOLOMBINA

Samuel Martí. Second edition, corrected and amplified by Gunhild Nilson. Third printing
1998. 16 x 23 cm. 96 pages with 44 photographs. Quality paperback.
                                                   ISBN 968-414-012-6

Music in ancient Mexico and America achieved a development as brilliant as that of its archi-
tecture, ceramics, sculpture and painting. This is a synthesis of its musical development based
on the books "Precolumbian Music" and "Precortesian Musical Instruments".

La música de México y América antiguos alcanzó un desarrollo tan notable como el
de la arquitectura, la escultura, la cerámica y la pintura. He aquí una síntesis de este
desarollo basado en los datos de los libros "Música Precolombina" e "Instrumentos
Musicales Precolombinos".

THE VIRGEN OF GUADALUPE AND JUAN DIEGO • LA VIRGEN DE GUADALUPE Y JUAN DIEGO

Samuel Martí. 1972. (Biblioteca Latinoamericana Bilingüe,3). 14 x 21 cm. 156 pages with 2
colour and 24 black & white photographs; 8 drawings by Maria Cusi. Paperback.

"Creo que esta guía histórica guadalupana puede contribuir positivamente para que
todas las pesonas, tanto las de habla hispana como las de habla inglesa, muy particu-
larmente las de nuestro país vecino del norte, tengan ideas más claras acerca de los
hechos en la Colina de Tepeyac.
MONS. GUILLERMO SCHULENBURG P.

EDICIONES EUROAMERICANAS

BIBLIOTECA INTERAMERICANA BILINGÜE

A bilingual series of quality paperbacks on subjects of history and antropology of the American continent.

Una serie bilingüe sobre temas de historia y antropología del continente americano.

EDICIONES EUROAMERICANAS